찰리의 위대한 가출

SEOUL, 2009

찰리의 위대한 가출

초판 제1쇄 발행일 2009년 11월 20일
초판 제35쇄 발행일 2022년 3월 20일
글 힐러리 매케이 그림 샘 헌 옮김 지혜연
발행인 박헌용, 윤호권 발행처 (주)시공사
주소 서울시 성동구 상원1길 22, 6-8층 (우편번호 04779)
대표전화 02-3486-6877 팩스(주문) 02-585-1247
홈페이지 www.sigongsa.com/www.sigongjunior.com

ISBN 978-89-527-8694-4 74840
ISBN 978-89-527-5579-7 (세트)

찰리의 위대한 가출

힐러리 매케이 글 • 샘 헌 그림
지혜연 옮김

시공주니어

차례

제1장

가출을 생각하다

찰리는 아주 슬프고 힘든 삶을 살고 있었다. 찰리 가족들은 찰리를 존중해 주지 않는 끔찍한 사람들이었다. 찰리는 여덟 살이었고, 열두 살인 맥스 형과 생각이 아주 구닥다리인 아빠 엄마와 함께 살았다.

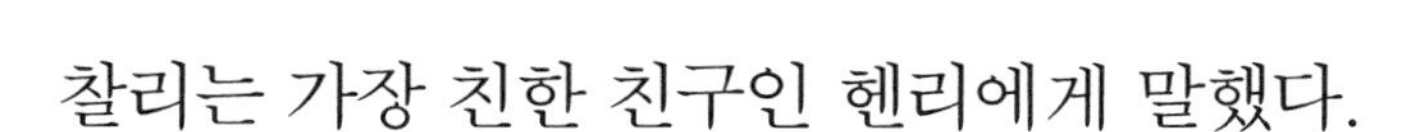

찰리는 가장 친한 친구인 헨리에게 말했다.

"우리 엄마 아빠는 맥스 형만 좋아해."

여름 방학이 한창인 어느 맑은 날 오후였다. 찰리는 길을 따라 조금만 걸으면 있는 헨리네 정원에서 시간을 보내고 있었다.

찰리는 계속 투덜거렸다.

"나보다 형을 더 좋아해! 형이 농담할 때만 웃고……."

"네가 농담을 하면 웃지 않으셔?"

찰리가 대답했다.

"응, 내가 무슨 말만 하면 '찰리, 그런 이야기는 밥 먹는 식탁에서 사람들이 듣고 싶어 하는 이야기가 아니란다.' 라고 해. 그리고 내가 하모니카 부는 것도 싫어하시는 거 있지. 아빠는 내가 하모니카를 불기 시작하자마자 '다른 곳에 가서 불어라. 제발, 찰리!' 라고 하신다니까."

헨리는 잘난 척을 하며 말했다.

"우리 엄마는 나보고 제발 리코더를 불어 보라고 하시는데."

찰리가 말했다.

"우리 엄마는 내가 방에만 들어가면 인상을 써. 그러고는 '한 발자국 더 디디기 전에 신발을 벗어라, 찰리!'라고 하지. 또 사람들이 말할 때 끼어든다고 만날 뭐라고 하신다니까. 엄마가 쉬지 않고 잔소리를 해 대는데 어떻게 끼어들지 않을 수가 있냐고! 내 말을 듣게 하려면 소리를 지를 수밖에 없어."

헨리가 말했다.

"그래, 가끔 여기까지 들리더라. 너희 집 현관문이 열려 있으면

길 아래 우리 집에서도 네 목소리가 들려."

"그리고 체육 시간이 끝난 다음에 나도 모르게 어쩌다 다른 아이의 옷을 입고 오면 또 얼마나 난리를 치는지! 양말 하나 잃어버려도 얼마나 뭐라고 하시는지 몰라! 우리 엄마는 양말에 관해서는 유난히 화를 내셔. 내가 양말을 신지 않고 집으로 가면 난리가 나."

헨리는 의아해서 물었다.

"아니, 양말을 잃어버리는 게 무슨 대수라고? 양말 없는 사람이 어디 있어? 난 수천 켤레도 넘게 있는데!"

찰리가 대답했다.

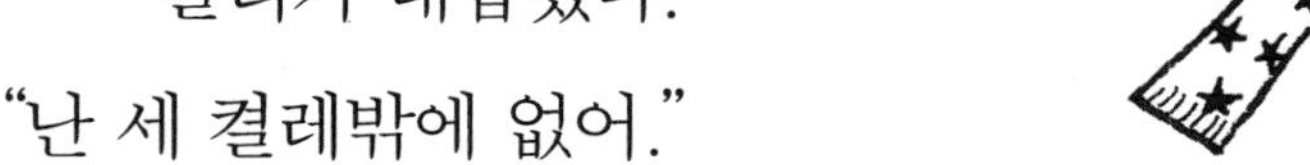

"난 세 켤레밖에 없어."

"그럼 맥스 형 것을 빌려 신지."

찰리는 씁쓸하게 웃었다.

"아하하하. 그런 일이 가능한 줄 아니? 우리 집

식구들은 나랑 아무것도 같이 쓰려고 하지 않아."

헨리가 말했다.

"내가 나눠 줄게. 적어도 너한테는 내가 있잖니."

"그러네."

찰리는 전혀 고마워하지 않는 말투였다.

"나중에 크면 끔찍한 가족으로부터 떠날 수 있을 거야!"

찰리가 말했다.

"난 지금도 떠날 수 있어. 그럼 가족들도 깨닫게 되겠지. 그때는 이미 후회해도 늦은 거야!"

헨리는 생각이 달랐다.

"도리어 잘됐다고 생각할지도 모르잖아. 그렇게 되면 어떻게 하려고?"

이렇게 얄미울 정도로 냉정한 질문에 대답하는 대신, 찰리는 축구 경기에서 태클을 걸듯 헨리의 무릎으로 달려들었다.

두 아이는 한 무더기가 되어 헨리네 빨래 바구니 위로 넘어졌다. 빨래 바구니에는 세탁을 다 끝내 빨랫줄에 널기만 하면 되는 젖은 옷가지들이 가득 들어 있었다. 헨리는 티셔츠를 손으로 잡고 찰리의 얼굴을 문질렀다. 찰리는 축축한 팬티를 헨리의 목뒤로 쑤셔 넣었다. 그다음 몇 분 동안 아이들은 축축한 양말을 서로 집어 던지며 싸웠다. 그러다 찰리가 헨리를 납작하게 땅바닥에 눕혔다. 그러고는 헨리 엄마의 잠옷을 헨리 머리에 억지로 뒤집어씌워 자기가 이겼음을 증명했다. 헨리가 엄마 잠옷을 억지로 잡아당겨 벗는 바람에 잠옷이 찢어졌다. 그때 두 아이의 엄마들이 정원으로 뛰쳐나와 그 장면을 보았다.

헨리의 엄마는 괜찮다고 말했다.

찰리의 엄마는 괜찮지 않다고 했다. 그러고는 헨리네 집에서 차를 마시면서 만화 〈심슨 가족〉을

보게 해 주겠다는 찰리와의 약속을 저버리고 찰리를
앞세워 곧장 집으로 돌아갔다.

엄마에게 끌려가면서 찰리가 어깨 너머로
헨리에게 말했다.

"이렇다니까. 나한테는 만날 이런 식이라고."

제2장

드디어 떠나다

빨래 소동은 수요일에 있었던 일이다. 목요일 아침이 되자 찰리의 슬프고도 험난한 인생은 갑자기 더 슬프고 더 험난해졌다. 맥스 형은 축구공을 가지고 공원에 나갔고, 구닥다리 아빠는 직장에 나가 친구들과 어울려 놀고, 구닥다리 엄마는 고양이와 집에서 노는데, 찰리만 자기 방에 죄수처럼 갇혀 있었다.

하루가 채 시작도 하지 않았는데……. 찰리는 살금살금 계단으로 걸어 내려가서는 아무도 없는 부엌으로 들어갔다. 토스터에 빵을 넣고 기다렸다. 하지만 빵이 미처 다 구워져 튕겨 올라오기도 전에 찰리는 다시 방으로 보내졌다. 단지 빵을 굽는 동안 시리얼 상자에 붙어 있던 공짜 시디를 아빠가 직장에서 집으로 가져온 새 컴퓨터에 넣고 틀어 보려던 것뿐인데 말이다.

컴퓨터에서 윙 소리가 나더니 화면에 수백 가지의

그림이 번쩍였다.

찰리의 엄마가 들어와 소리를 질렀다.

"내 인내심이 바닥나기 전에 어서 2층으로 올라가!"

마치 인내심이 바닥나지 않았다는 듯이 말이다.

찰리가 물었다.

"내 토스트는요?"

"네 토스트를 내가 알게 뭐야!"

엄마는 그렇게 소리를 지르더니 토스터에서 빵을 꺼내 쓰레기통에 버리고는 시리얼 상자의 시디를 컴퓨터에서 꺼내려고 했다.

찰리가 시디를 꺼내는 방법을 친절하게 알려 주었다.

"숟가락을 이용하세요."

"뭐라고?"

"집어넣을 때도 숟가락을 썼거든요."

엄마는 끔찍한 목소리로 소리를 버럭 질렀다.

"찰리, 어서 내 눈앞에서 사라져!"

처음에는 (물론 토스트를 먹지 못하게 된 것만 빼면) 찰리도 그다지 속상하지 않았다. 비디오 게임기도 방에 있었고 맥스 형의 새 자동차 경기 게임도 마찬가지였기 때문이다.

하지만 부릉부릉하는 자동차 소리와 끼익하고 브레이크 밟는 소리를 듣고 엄마가 쿵쿵 소리를 내며 2층으로 올라왔다. 그러고는 게임기를 탁 꺼 버렸다. 찰리가 즐겁게 지내면 안 된다고 생각하는 모양이었다.

찰리는 다시는 게임기를 켜지 않을 거라고 잠시 마음먹었다. 자기 인생이 얼마나 슬프고 힘든지 보여 주려고 말이다. 반대로 다시 켜서 엄마에게 반항하며 본때를 보여 줄까도 생각했다.

그러다 찰리는 헨리네 정원에서 헨리와 주고받았던 이야기가 생각났다. 집에서 가출해서 모두에게 본때를 보여 주겠다고 했던 말이 떠올랐던 것이다. 그것이 지금 할 수 있는 최선의 선택 같았다. 찰리는 가방을 꾸리기 시작했다.

찰리는 맥스 형 가방에다 곰 인형과 용돈 상자, 자기 사진이 들어 있는 사진첩, 그리고 이다음에 값어치가 나갈지도 모른다는 생각에 바닷가에서 주워 모아 놓은 커다란 돌멩이들이 들어 있는 주머니를 넣었다. 그러고는 얼음덩어리처럼 생긴 장난감 안에 들어 있는 파리와 물을 뿜어 대는 계산기, 플라스틱 개똥 장난감, 간지럼 가루, 마지막으로 두 개 남아 있던

거품이 이는 붉은색 설탕 덩어리, 양말 두 켤레와 어둠 속에서 빛이 나는 해골이 그려진 야광 티셔츠를 챙겼다. 구닥다리 아빠를 기억하기 위해 아빠의 회전등을 챙겼고, 형을 기억하기 위해 막대 사탕을 챙겼다. 하지만 엄마 물건은 챙기지 않았다. 쓸모 있는 물건이 하나도 없었기 때문이다.

가방에 물건을 다 채운 다음, 계단으로 내려가 창고에 있던 대형 여행 가방 두 개를 꺼냈다. 찰리는 그중 하나에 게임기를 넣었고 나머지 가방에 게임할

때 필요한 휴대용 텔레비전을 넣었다. 맥스 형 말에 따르면 돈으로 살 수 있는 가장 작고 가장 싼 텔레비전이었다. 전에는 그 텔레비전이 작다며 투덜거렸지만 지금은 작아서 얼마나 고마운지 몰랐다. 아무리 작아도 맥스 형 가방을 짊어지고 게임기가 들어 있는 여행 가방을 한쪽 어깨에 메고 텔레비전이 들어 있는 가방을 나머지 어깨에 메고 나니 일어서기조차 쉽지 않았다.

찰리는 그 상태로 방에서 걷는 연습을 했다. 그러자 조금은 들고 가기가 쉬워졌다. 모든 물건들이 몸에 딱 매달려 있어서 똑바로 서 있는 동안은 아무것도 떨어지지 않았다.

찰리는 드디어 계단 난간을 꼭 붙들고 천천히

계단을 내려가기 시작했다. 아주 천천히 부엌을 지나 아주 천천히 문으로 나갔다.

문을 통해 밖으로 나간 찰리는 길에 서서 생각해 보았다. 아무에게도 알리지 않고 가출을 한다는 것은 잘못인 것 같았다. 그래서 찰리는 천천히 집 안으로 다시 들어왔다.

찰리가 큰 소리로 말했다.

"저 가출해요!"

그러고는 문을 꽝 하고 요란하게 닫았다. 마지막으로 집에서 들려오는 소리는 유리창이 깨지는 소리였다.

찰리는 뒤도

돌아다보지 않았다. 그저 정원에 난 길을 터벅터벅 걸어 길거리로 나갔다. 찰리는 방학 중에 맑게 갠 아침이 가출하기에는 가장 나쁜 시간이라는 것을 알았다. 사람들이 곳곳에 있었다. 처음으로 만난 두 아이는 옆집에 사는 룰루와, 룰루랑 가장 친한 친구 멜리였다. 둘은 인라인스케이트를 신고 획획 달리며 놀고 있었다.

두 아이가 소리를 질렀다.

"어서 비켜, 찰리!"

두 아이는 찰리를 향해 무서운 속도로 달려오고 있었다.

찰리는 그 어떤 행동도 재빠르게 할 수가 없었다. 하지만 가방 무게 때문에 바닥으로 넘어지지도 않았다. 찰리는 나무 기둥처럼 꿋꿋하게 버티고 서 있을 수 있었다. 오히려 아이들이 부딪혀 튕겨 나갔다. 아이들은 팔꿈치를 어루만지면서 너무나

꼿꼿한 찰리를 보고 놀라워했다.

아이들이 물었다.

"너 지금 어디 가는 거야? 그렇게 짐을 많이 짊어지고 덥지 않니? 손수레가 필요할 것 같은데. 맞아, 수레가 필요할 거야! 얼굴도 벌겋게 달아올랐어. 무슨 일 있어?"

찰리가 대답했다.

"나 지금 가출하는 중이야."

두 아이가 되물었다.

"가출이라고?"

"그래, 가출."

찰리는 의젓하게 대답했다. 그러고는 고개를 푹 숙이고 10초쯤 거북이걸음으로 걸어가다가 헨리의 엄마와 마주쳤다.

헨리의 엄마가 물었다.

"아이코! 찰리야, 너 그 가방들을 메고 어디 가니?"

"저는 지금 가……."

찰리는 여자아이들이 자기 말을 듣고서는 서로 붙잡고 낄낄거리는 모습을 보고는 말을 바꿨다.

"저는 지금 산책…… 그냥 산책 좀 하려고요……. 아시잖아요."

헨리의 엄마가 물었다.

"그래?"

"그냥 산책하러 가는 중이에요."

찰리는 그렇게 대답하고는 직접 보여 주려는 듯 계속 걸어갔다. 한 걸음 한 걸음 내디딜 때마다 끊어질 듯 아픈 등 뒤로 헨리 엄마의 시선이 따갑게 느껴졌다.

찰리는 속으로 투덜거렸다.

'난 정말 재수가 없어. 조용히 가출 한번 하기도 이렇게 힘들다니…….'

어느새 코앞에 와 있던 우체부 아저씨가 찰리에게 인사했다.

"안녕, 맥스!"

찰리는 짜증을 내며 퉁명스럽게 대답했다.

"전 맥스가 아니에요."

찰리는 '난 정말 지지리도 운이 없다.'고 생각했다. 이제는 우체부 아저씨까지!

"맥스가 아니야?"

"아니에요."

그렇게 대답하면서 찰리는 가방 무게 때문에 휘청거렸다.

우체부 아저씨가 계속 말을 걸었다. 아저씨는 찰리가 세상에서 가장 한가한 아이라고 생각하는 모양이었다.

"흠, 확실하게 해 둬야겠구나. 저기가 헨리라는 아이가 사는 60번지지? 그렇지?"

찰리는 아픈 어깨를 으쓱거리며 신음하듯 대답했다.

"그럴걸요."

"그리고 큰 개가 있는 집이 62번지고. 난 절대 그 집 안으로는 들어가지 않는단다. 언제 문을 부수고 뛰쳐나올지 모르니까 말이다."

찰리는 한숨을 쉬었다.

"저기서 인라인스케이트를 타고 있는 저 아가씨는 64번지고?"

찰리의 가방은 시간이 지날수록 점점 더 무거워져 갔다. 찰리는 이리저리 휘청거리는 몸을 가누면서 우체부 아저씨의 말이 끝날 때까지 기다렸다. 하지만 더 이상 가방의 무게를 견딜 수가 없게 되자 찰리는 62번지에 있는 집 울타리에 기대섰다. 울타리가 찰리의 무게 때문에 점점 뒤로 기울어졌다. 집 안에 있던 개가 신경이 곤두섰는지 짖기 시작했다.

이런 상황을 하나도 눈치채지 못한 우체부 아저씨는 계속 말했다.

"…… 나는 네가 맥스인 줄 알았어. 미국서 오는 엽서를 받는 66번지의 맥스 말이야."

찰리와 울타리는 이제 위험한 지경에 이르렀다. 원래 수직이었던 울타리가 반 이상 기울어졌던 것이다.

그래도 우체부 아저씨는 계속했다.

“아니면, 66번지에 사는 건 맞는데 엽서를 받는 아이는 아니라는 말이니? 너도 그 집에서 사는 건 맞지?”

찰리는 고개를 끄덕였는데 그게 대단한 실수였다. 그 바람에 울타리가 완전히 기울어졌고, 중심을 잃은 찰리는 무릎을 휘청거렸다. 그렇게 찰리는 울타리와 함께 넘어져 버렸던 것이다. 그러자 집 안에 있던 커다란 개가 커튼을 찢고는 현관문을 힘차게 밀고 밖으로 뛰쳐나왔다. 우체부 아저씨와 62번지에 사는 아이가 서로 소리를 지르기 시작했다.

찰리는 기어서 서둘러 자리를 피했다. 그러고는 가까이 있던 가로등을 붙잡고 일어서서 주위를

살폈다. 찰리는 숨을 곳이 필요했다. 유일하게 떠오르는 곳은 자기 집 뒤뜰뿐이었다. 헛간과 울타리 담 사이에 있는 비밀스러운 장소로, 말썽을 일으킨 다음 숨어 있곤 했던 공간이었다.

2분 뒤 찰리는 바로 그곳에 가 있었다. 마음이 놓였다. 세상에서 도망쳐 나온 기분이었다. 꼭 도망을 쳐서 숨어 있어야만 한다면 거기처럼 좋은 곳이 없었다.

찰리는 신이 나서, '내가 머물 곳은 바로 여기다!' 하고 생각했다.

제3장

몇 시간 동안 없어지다

찰리는 오랫동안 등을 대고 누워 아무것도 하지 않았다. 그냥 맥스 형의 막대 사탕을 빨면서 멀리서 들려오는 자동차 소리와 문이 여닫히는 소리, 그리고 룰루와 멜리가 넘어지는 소리를 들었다. 그러다 누군가가 정원으로 들어와 뒷문을 두드리는 소리가 들렸다. 찰리는 헨리라는 것을 단박에 알아차렸다. 그래서 문이 열렸을 때 찰리는 아주 열심히 귀를 기울였다.

헨리가 물어보는 소리가 들렸다.

"아줌마네 현관문 유리에 금이 간 거 아세요?"

찰리의 엄마는 아주 침착한 말투로 대답했다.

"알아. 고맙구나, 헨리. 찰리가 범인이란다."

헨리가 대답했다.

"오, 그래서 찰리는 지금 집에서 벌을 서고 있나요? 아니면 놀고 있나요?"

찰리의 엄마가 대답했다.

"미안하다, 헨리. 찰리는 벌을 서고 있지도 않고 놀고 있지도 않아. 찰리는 가출을 했단다."

"그럴지도 모른다고 했었어요."

헨리는 전혀 놀랍지 않은 모양이었다.

"찰리가 어디로 갔을까요?"

"그걸 누가 알겠니……. 바다로 갔을지도 모르지, 아마도. 어쩜 보물을 찾으러 갔을지도 몰라. 내 생각엔 아마 그런 것 같구나. 헨리야, 아줌마는 이제 가 봐야겠어. 오늘 아침에 내가 그렇게 말렸는데도 찰리가 시리얼 상자에 들어 있던 시디를 억지로 넣어 컴퓨터를 망가뜨렸거든. 그래서 컴퓨터를 고쳐야 해. 끔찍하게 긁히는 소리가 나는데 안내서가 전부 일본어로 쓰여 있어서 말이다. 우리 컴퓨터도 아닌데……. 찰리 아빠가 직장에서 빌려 온 거란다."

찰리 엄마의 목소리는 끝이 흐려졌다. 문이 닫히는 소리가 들렸다. 호기심이 발동했는지 헨리가 손가락으로 유리에 난 금을 만져 보는 소리가 났다. 찰리는 아주 조심스럽게 고개를 내밀고 나지막하게 헨리를 불렀다.

"헨리!"

헨리는 깜짝 놀라 펄쩍 뛰었다.

"나 여기 있어, 바로 네 뒤에!"

헨리가 놀라 소리쳤다.

"아! 아하! 너구나! 난 네가 가출한 줄 알았는데."

"그랬지. 여기 헛간 뒤로. 자, 와서 봐!"

헨리는 투덜거리며 대답했다.

"헛간 뒤는 수백만 번도 더 봤잖아."

그래도 헨리는 찰리를 따라 기어 들어와 다시 보았다.

헨리가 말했다.

"그냥 똑같은데, 뭐. 별로 좋지도 않네."

"난 훌륭하다고 생각하는데? 아무도 내가 여기 있다는 걸 모를 거야."

"하지만 헛간 뒤를 살피면 들킬 텐데."

찰리가 대답했다.

"헛간 뒤는 절대 찾아보지 않을 거야. 아빠는 너무

덩치가 크고 엄마는 거미를 무서워하니까. 맥스 형은 이런 데 오기엔 자기가 너무 중요한 사람이라고 생각해. 난 모두 속상해할 때까지 여기서 편안하게 머물 거라고."

"너네 엄마는 이미 속이 상한 것 같던데. 네가 컴퓨터를 망가뜨려서 말이야."

찰리가 대답했다.

"그런 식으로 속상해하는 걸 말하는 게 아니야. 가서 우리 엄마한테 우리 집 정원에서 놀아도 되냐고 물어보고 와."

"왜?"

찰리가 대답했다.

"네가 필요할 것 같아서 그래."

찰리의 엄마는 헨리가 다시 찾아와 현관에 서 있는 걸 의아해했다. 원하면 정원에서 놀아도 되지만 심심하지 않겠느냐고 물었다.

헨리가 둘러댔다.

"전 심심한 데 익숙해요. 우리 식구들이 다 따분한 사람들이잖아요."

찰리의 엄마가 말했다.

"흠, 좋을 대로 해. 아줌마는 현관방에서 양탄자에 묻은 '오렌지 로켓 연료'를 닦고 있을게. 그리고 벽도. 그런데 헨리야, 혹시 너도 오렌지 로켓을 만들 줄 아니?"

헨리가 대답했다.

"네, 알아요. 병에 물을 조금 넣고 자전거 타이어 바람을 넣는 펌프로 공기를 넣는 거죠. 과학 시간에 해 봤어요."

찰리의 엄마가 물었다.

"집 안에서, 아니면 밖에서?"

"밖에서요."

찰리의 엄마가 말했다.

“어젯밤에 찰리는 그 로켓이 집 안에서도 똑같이 작용한다는 것을 발견했지 뭐니. 그리고 물은 필요 없더구나. 오렌지 주스도 똑같은 효과를 냈거든.”

“컴퓨터는 고치셨어요?”

“아니, 완전히 고장 나 버렸단다. 헨리야, 지나가다가 이걸 새 모이 놓는 탁자에 놓아 주면 고맙겠다. 점심시간이 거의 다 됐거든.”

찰리의 엄마는 헨리를 부엌으로 데리고 들어가서

커다란 피크닉용 접시를 주었다.

헨리는 놀라서 접시를 쳐다보며 물었다.

"아줌마는 점심시간에 늘 새들에게 이런 음식을 주세요?"

"찰리가 가출을 한 다음부터는 그렇단다."

찰리의 엄마는 이렇게 대답하고는 헨리를 다시 정원으로 내보냈다.

형의 막대 사탕을 다 먹어 치운 찰리에게는 이러다 굶어 죽는 것은 아닐까 하는 게 가장 큰 걱정거리였다.

엄마가 보이지 않자 찰리는 고개를 삐죽이 내밀고는 물었다.

"뭐야?"

"치즈 샌드위치랑 애플파이랑 과자랑 토마토야."

헨리는 먹을 것을 들고 새 모이 탁자로 걸어갔다.

찰리가 외쳤다.

"거기 놓지 말고 이리 가져와! 배고파 죽겠어!"

"사람이 새 모이를 먹으면 안 되지. 그러다 죽으면 어쩌려고!"

찰리는 헨리의 충고를 받아들이지 않았다. 찰리가 우적우적 먹어 대는 것을 몇 분 동안 지켜본 다음 헨리도 찰리의 말이 맞다는 것을 알고는 음식이 다 사라지기 전에 같이 먹었다.

한입씩 먹을 때마다 찰리는 헨리에게 명령을 내렸다.

"양탄자, 양탄자가 필요해. 그리고 침대도. 밤에

마실 물을 놓아둘 탁자도. 내 게임기와 텔레비전을 놓아둘 것도 필요하고. 도끼나 날카로운 칼도 있어야겠어. 헛간에 구멍을 뚫어야 하거든."

헨리가 물었다.

"아니, 헛간에 구멍을 뚫어서 뭐하게?"

찰리가 대답했다.

"나중에 알게 될 거야. 우선 양탄자부터 가져와! 네 방 침실에 있는 토마스 기차 그림이 그려진 양탄자는 안 될까? 토마스 그림은 이제 네 나이에 맞지 않아. 아주 오래전부터 그렇게 생각했었어."

"아주 오랫동안 네가 탐냈다는 말이겠지."

헨리는 그렇게 받아치고는 마지막으로 남아 있는 과자를 한꺼번에 한 움큼 쥐면서 말을 이었다.

"하지만 원한다면 가져다줄게. 나 이제 간다. 애플파이는 가다가 먹어야겠다. 네가 원하지 않으면 그 샌드위치도……."

찰리는 샌드위치를 건넸다. 그러자 헨리는 자리를 떴다. 얼마 지나지 않아 헨리가 한쪽 겨드랑이에 돌돌 말은 양탄자를 가지고 나타났다. 나머지 손에는 물컹거리는 커다란 쿠션을 질질 끌고 왔다. 쿠션은 마치 다리가 없는 보라색 말 같은 끔찍한 모양을 하고 있었다. 헨리의 사촌인 릴리에게서 물려받은 것인데, 헨리가 몇 달 동안 갖다 버리려고 무척 애쓰던 물건이었다.

헨리가 자랑스럽다는 듯 말했다.

"몸을 웅크리고 누우면 침대로 사용할 수 있을

거야. 그리고 도끼나 날카로운 칼을 찾을 수가 없어서 깡통 따개를 가지고 왔다. 자, 여기 있어. 난 잠깐만 잘게. 깨우지 마!"

헨리는 쿠션 위에 몸을 웅크리고 토마스 양탄자를 덮고 누워 코 고는 시늉을 했다.

이미 깡통 따개로 헛간 밑부분을 잘라 내기 시작한 찰리는 잠시 멈추어 헨리를 쳐다보았다.

찰리가 말했다.

"누비이불이 필요할 것 같아. 내 베개와 침대 옆 전기스탠드도. 우리 엄마는 지금 뭘 하고 계신지 궁금하네."

헨리가 말했다.

"조금 있다가 일어나서 아줌마가 뭘 하고 계신지 살펴보고 올게. 난 스파이 노릇을 잘하거든."

"좋아."

찰리는 그렇게 대답하고는 깡통 따개로 열심히

작업을 계속했다.

헨리는 몇 번 코 고는 시늉을 하다가 물었다.

"찰리, 이 헛간 뒤에서 살면 너무 심심하지 않을까?"

찰리가 대답했다.

"아니!"

"난 벌써 심심한데!"

헨리 말에 찰리는 혀를 찼다.

헨리가 일어서며 말했다.

"가서 스파이처럼 너네 엄마나 살펴봐야겠다."

"어서 가 봐."

헨리는 헛간 뒤에서 나와 정원을 가로질러 소리 없이 부엌 유리창까지 살금살금 기어갔다.

"안녕, 헨리!"

찰리의 엄마가 느닷없이 문을 확 여는 바람에 헨리는 뒤로 넘어졌다.

"심심하니? 들어오고 싶으면 안에 들어와서 놀아. 컴퓨터 수리공에게 전화하는 중인데 계속 연결이 안 되네. 뭐 필요한 거라도 있니?"

"그냥 궁금해서요……."

"음?"

"이제 찰리가 가출을 했으니까요……."

"응, 그런데? 빨리 말해 봐! 이제 거의 내 차례가 되거든."

"…… 제가 찰리의 물건을 써도 되나요?"

"쓴다고?"

"가져가도 되는지……."

"세상에, 얼마든지!"

찰리의 엄마는 흔쾌히 대답했다.

"마음대로 하렴! 아마 우리한테는 다시 필요하지 않을 거야. 여보세요? 여보세요? 오, 세상에! 마침내 사람의 목소리가 나오네요!"

찰리의 엄마는 헨리에게 가 보라고 손을 젓더니 전화기를 들고 거실로 들어갔다. 헨리는 도둑이라도 된 듯 신이 나서 후닥닥 찰리의 방이 있는 2층으로 달려 올라갔다.

"마음대로 하렴!" 하고 찰리의 엄마가 허락한 대로 헨리는 실행에 옮겼다. 헨리는 찰리의 누비이불, 베개, 슬리퍼, 잠옷을 찾아 유리창을 통해 잔디밭으로 던졌다. 그러고는 침대 옆에 있던 전기스탠드의 전기 코드를 뽑아 누비이불 위로 내려뜨렸다.

마지막으로 헨리는 찰리의 침대 옆 탁자를 들고 비틀거리면서 계단을 내려왔다.

이 모든 일은 5분도 채 걸리지 않았다. 찰리의

엄마는 아무것도 보지 못했다.

모든 물건들이 헛간 뒤에 나타나자 찰리가 말했다.

"훌륭해! 엄마가 뭐라고 하시던?"

"마음대로 해도 괜찮다고 하셨어. 다시는 필요할 것 같지 않다고 말이야. 여전히 컴퓨터를 고치려고 노력 중이셔. 이런, 세상에! 아니, 깡통 따개로 그렇게 큰 구멍을 냈단 말이야?"

"훌륭하지, 그렇지?" 하고 찰리가 물었다. 찰리는 뿌듯해하며 자기가 한 일을 쳐다보았다. 삐죽삐죽한 구멍이 났는데 손이 쉽게 들어갈 정도로 컸다.

"무엇 때문에 구멍을 낸 거야?"

찰리는 의미심장하게 말했다.

"헛간에 꽂는 데가 있거든."

"뭘 꽂는데?"

찰리가 대답했다.

"전기 코드 꽂는 데가 있다고. 이제 손에 닿아."

오후가 저물어 갈 무렵 헨리의 도둑질과 찰리의 구멍은 모든 것을 바꾸어 놓았다. 이제 헛간 뒤에는 양탄자가 깔려져 있고 잠을 잘 침대도 마련되어 있었다. 전기스탠드는 밝게 빛나고 있었고, 비디오 게임기와 텔레비전도 가방에서 나와 설치되어 있었다.

찰리와 헨리는 (찰리의 엄마가 고양이 먹으라고 잔디밭에 놓아둔 뜨거운 피자와 과자랑 샐러드를 아무 생각 없이 먹으며) 게임 조종기를 놓고 티격태격했다.

찰리가 말했다.

"오래전에 가출을 했어야 했어."

헨리는 마지막으로 남아 있던 과자를 공평하게 반으로 자르면서 물었다.

“내가 가고 나면 어떻게 할 거야?”

“가다니? 어디로 가?”

헨리가 대답했다.

“집으로 가야지.”

“집에 갈 거야?”

헨리는 찰리를 일깨워 주었다.

“난 가출하지 않았잖아.”

찰리는 갑자기 마지막 과자를 먹고 싶지 않았다. 문뜩 헛간 뒤에서 사는 것이 더 이상 아늑하게 느껴지지 않았다.

그래도 찰리는 여전히 용감하게 말했다.

"난 밤새 깨어 있을 거야. 언제나 그렇게 하고 싶었어. 넌 언제 갈 거야? 네가 가야 내가 계획대로 시작할 수 있지."

헨리가 대답했다.

"지금."

"지금?"

"응."

헨리는 그렇게 대답하더니 가 버렸다.

제4장

몇 시간 동안 사라지다

헨리가 가 버린 다음, 찰리는 갑자기 너무 심심했다. 그러고는 느닷없이 배가 아파 왔다. 찰리는 자신이 병에 걸린 것 같았다.

갑자기 정원에서 발자국 소리가 들렸다. 찰리의 형인 맥스가 자전거를 끌고 집 모퉁이를 돌아오는 소리였다.

엄마가 맥스 형을 부르는 소리가 들렸다.

"어서 와, 맥스! 재미있었니?"

맥스가 대답했다.

"네, 덕분에요."

"아빠 오시면 곧 저녁 먹자. 우리 셋이서. 찰리가 가출을 했단다."

맥스가 물었다.

"정말요? 와, 신 난다! 정말 잘됐네요! 드디어!"

헛간 뒤에서 찰리는 맥스 형에게 우스꽝스러운 얼굴을 해 보였다. 찰리는 아빠가 퇴근해 돌아왔을 때도 그런 얼굴로 있었다.

이번에는 맥스와 엄마가 동시에 뛰쳐나와 소식을 전했다.

두 사람은 행복해하며 큰 소리로 말했다.

"찰리가 집을

나갔어요! 정말 이렇게 평화로울 수가 없어요.
어디로 갔는지 알 수는 없지만 완전히 가 버렸어요."

찰리의 아빠는 컴퓨터가 고장 난 이야기와 62번지 집의 울타리가 망가진 이야기도 이미 알고 있었다. 아빠는 기분이 썩 좋은 상태가 아니었다. 아빠는 찰리를 찾는 일이 어렵지 않을 거라고 했다.

찰리의 아빠가 말했다.

"가는 곳마다 일을 벌이니 사고가 난 곳을 따라가다 보면 찾을 수 있을 거요."

찰리의 엄마가 말했다.

"아니요, 아니에요. 이해를 못하시는군요! 벌써 몇 시간 전에 가 버렸어요. 아마 지금쯤 수천 킬로미터 멀리 떨어진 곳까지 갔을 거예요. 불쌍한 헨리가 오후 내내 혼자 놀다가 갔어요."

찰리의 아빠는 희망에 찬 목소리로 물었다.

"그럼, 헨리는 가출하지 않았단 말이오?"

찰리의 엄마가 대답했다.

"오, 그래요. 헨리는 가출할 필요가 없을 거예요. 오늘 아침에 찰리가 그러는데, 헨리는 집에서 사랑을 듬뿍 받고 산대요. 늘 잔소리만 해 대는 끔찍하게 못된 엄마도 없고, 못살게 구는 형도 없고, 자기 물건은 절대로 못 쓰게 하는 아빠도 없다고 말이에요. 컴퓨터 일은 정말 미안하게 됐어요. 찰리가 고양이 등에 매달아 놓은 낙하산을 떼어 주느라 잠시 등을 돌린 사이에 그만……. 글쎄, 오늘 아침 일찍 찰리가 낙하산을 만들어 수지가 깨기도 전에……. 불쌍한 수지!"

찰리는 혼자 생각했다.

'생각해서 만들어 준 건데.'

찰리는 들으면서 화가 났다.

'도와주려고 한 건데. 낙하산도 없이 늘 계단 난간에 위험하게 앉아 있잖아!'

맥스가 투덜거리며 말했다.

"그래서 제 축구복 셔츠가 그 모양이었군요. 왜 끈이 묶여 있는지 궁금했었는데."

찰리가 생각했다.

'정말 너무하네. 아니, 뭐가 더 중요하다는 거야? 하나밖에 없는 우리 집의 충성스러운 고양이야, 아니면 축구복 셔츠야?'

식구들과 함께 안으로 들어가면서 아빠가 중얼거리는 소리가 들렸다.

"불쌍한 우리 맥스!"

찰리도 형이 불쌍하다고 생각했다. 그렇다면 찰리는? 찰리는 자신도 불쌍했다.

'헛간 뒤에서 이렇게 외로이 남아 홀로 어둠 속에서 살아가야 하다니…….'

그때 차가운 것이 찰리의 얼굴에 부딪혔다.

찰리가 소리쳤다.

"비다!"

정말 비가 내리고 있었다. 굵은 빗방울이 아주 천천히 찰리와 찰리의 침대와 전기스탠드에

떨어졌다. 그 무엇보다도 끔찍한 건 찰리의 휴대용 텔레비전과 게임기에도 비가 퍼붓기 시작했다는 것이다.

찰리는 미친 듯이 플러그를 뽑고 짐을 챙겼다.

"아니, 세상에! 이제 어떡하지?"

찰리는 자기에게 두 가지 선택이 있다는 것을 깨달았다. 하나는 집으로 들어가서 끔찍한 가족을 참고 견디며 살아가는 것이고, 다른 하나는 멀리 떨어진 어딘가를 향해 길을 나서는 것이었다. 축축하지 않은 아늑한 곳을 찾아서.

짐을 다 챙겼을 무렵 찰리는 마음을 정했다. 찰리는 토마스 그림이 그려진 양탄자와 침대로 쓸 수 있을 만큼 커다란 쿠션을 헛간으로 밀어 넣은 다음, 등산 가방과 들기가 불가능할 정도로 엄청나게 무거운 가방을 챙겨 메고 누비이불을 망토처럼 걸치고 길을 따라 헨리의 집으로 향했다.

다행스럽게도 헨리네 뒷문이 열려 있었다. 부엌에는 아무도 없었다. 거실에서 텔레비전 소리가 들렸는데 헨리의 엄마는 전화 중이었다. 찰리는 살금살금 계단으로 올라가 화장실 앞을 지나갔다. 헨리의 방도 비어 있었다. 그때 화장실에서 요란하게 첨벙거리는 소리가 들려왔다. 그러더니 헨리가 혼자서 명령을 하며 노는 소리가 들렸다.

"잠수하라! 잠수해, 잠수하라고!"

찰리는 조용히 가방을 바닥에 내려놓고 헨리의 침대에 벌렁 누웠다.

헨리는 찰리가 자기 집으로 도망쳐 온 것을 보고 무척 뜻밖인 모양이었다. 하지만 기분이 나쁜 것 같지는 않았다. 헨리는 모든 모험을 찰리 혼자 하게 내버려 두고 홀로 집으로 돌아오면서 어쩐지 오히려 자기가 버려진 느낌이 들었다. 헨리는 기꺼이 찰리를 도와 옷장에 물건을 숨기는 일을 도와주고 과자를 가져다주었다. 그런 다음 아래층으로 내려가 따뜻한 코코아를 한 잔이 아니라 두 잔 타 달라고 말했다.

헨리의 엄마가 물었다.

"두 잔?"

헨리의 엄마는 전화에 대고 말했다.

"우리 헨리가 방금 내려오더니 따뜻한 코코아를 두 잔이나 타 달라고 하네요! 아마 굉장히 목이 마른가 봐요……."

헨리는 아주 목이 마르다는 표정을 지었다.

헨리의 엄마가 말했다.

"금방 타 줄게. 그리고 원하면 목욕도 두 번 하렴.

잠옷도 두 벌을 줄게……."

헨리의 엄마가 누구에게 말을 하고 있는지는 모르지만 상대방이 웃고 있었다. 전화기 속에서 웃음소리가 들렸다.

"…… 그런 다음 잠자리에 들도록 해. 너무 오래 이야기는 하지 말고……."

헨리는 깜짝 놀라 물었다.

"이야기라니요?"

"…… 햄스터하고 말이야……. 내가 올라가서 이불을 덮어 줄까?"

헨리는 착하게도 이렇게 대답했다.

"이불은 제가 알아서 챙겨 덮고 잘게요. 귀찮게 그러실 필요 없어요."

찰리는 39시간 동안 헨리의 집에 숨어 살았다. 시간을 세고 있어서 얼마나 오래 머물고 있는지 잘

알고 있었다. 아주
조용한 시간이었다.

음식을 해결하는 것은 쉬웠다. 헨리는 언제나 엄청난 양을 가지고 왔다. 헨리의 엄마는 음식을 엄청나게 쌓아 놓고 먹는 모양이었다. 바나나며 소시지 빵, 과일 주스에 시리얼, 치즈 스틱과 샌드위치까지.

찰리가 말했다.

"난 토스트가 먹고 싶은데."

그래서 헨리가 토스트를 가지고 왔는데 집에서 먹던 맛과 달랐다. 빵도 달랐고 버터도 달랐다. 그래서인지 냄새도 달랐다.

찰리가 투덜대자 헨리는 짜증을 내며 말했다.

"넌 너무 까다로워. 네가 원하든 원치 않든 먹어

두는 게 좋을 거야. 한동안 먹을 것을 가져다줄 수 없으니까."

헨리는 음식을 잔뜩 들고 와서는 마치 얼마 지나지 않으면 굶어 죽을지도 모른다는 듯 말했다. 찰리는 배가 부를 때까지 먹었다. 그렇지만 하나도 고마운 생각은 들지 않았다. 금요일 오후에 헨리가 오븐에서 갓 구운 초콜릿 케이크를 들고 나타났을 때, 찰리는 침대 밑에 케이크를 넣어서는 비상식량으로 눈에 보이지 않게 감춰 뒀다. 찰리는 밤새 냄새를 맡을 수 있었는데 정말 곤욕스러웠다.

밤은 아주 길었다. 찰리는 헨리의 방바닥에 헨리의 침낭을 깔고 자기의 누비이불을 덮고 잠이 들었다. 이야기를 할 수 없었기 때문에 잠옷 파티라고 볼 수도 없었다. 집에서 자는 것만큼 재미가 없었다. 찰리는 맥스 형이 들려주던 유령 이야기 대신 헨리의 코 고는 소리와 잠꼬대하는 소리, 그리고 이불을 차 내는 소리를 들어야만 했다.

하지만 낮이 밤보다 더 고통스러웠다.

낮에는 소리 내지 않고 헨리가 가지고 있는 게임들을 하며 놀았다. 그리고 레고로 만들 수 있는 모든 모형을 만들어 보았다. 그리고 집에 있는 퍼즐도 다 맞추어 보았다.

찰리에게는 너무나 따분한 시간들이었다. 하지만 헨리는 좋았다. 조용한 방이 싫증이 나면 도망칠 수가 있었기 때문이다. 헨리는 정원으로 나가 뛰어다니면서 축구 골대에

공을 찰 수도 있었다. 그리고 거실에서 텔레비전을 볼 수도 있었으며 부엌에서 케이크 반죽 그릇을 삭삭 핥아서 먹을 수도 있었다.

그 무엇보다도 헨리는 소리를 낼 수가 있었다. 엄청나게 요란한 소리를 내며 계단에서 뛰어내릴 수도 있었다. 자전거 벨을 누를 수도 있었고, 62번지 울타리를 고치는 아저씨에게 말을 걸 수도 있었으며, 정원을 가로질러 룰루에게 소리를 지를 수도 있었다. 이런 행복해 보이는 소리에 귀를 기울이고 있자니 찰리는 자신이 점점 더 감옥에 갇힌 죄인이 되어 가는 것 같았다.

그 말에 기분이 상한 헨리가 말했다.

"죄인은 아니지! 뭐랄까…… 마치…… 애완동물 같잖아! …… 해미처럼 말이야!"

해미는 헨리가 키우는 햄스터 이름이다. 해미 역시 헨리의 방에서 살았다. 그리고 끊임없이 맛있는 음식과 끔찍한 장난감을 제공받았다. 그리고 침대 밑에 여분의 물건들을 가지고 있었다.

가끔 해미는 사람을 물었다.

찰리는 그 이유를 이해할 수 있을 것 같았다.

제5장

찰리 없음

찰리가 헨리의 방에서 39시간을 견딜 수 있었던 이유는 단 한 가지였다.

가족 때문이었다.

찰리가 가출한 다음 가족들은 아주 가끔 헨리의 집으로 놀러 왔다. 아마 찰리에 대해 이야기를 나눌 친구가 필요했던 모양이다.

헨리네 정원에서도 굳이 헨리의 방 바로 아래에

자리를 잡고 앉아 이야기를 나누고 또 나누었다. 찰리는 하나도 놓치지 않고 다 들었다.

처음에는 찰리의 가족들도 헨리의 집에 찾아와 아주 즐거운 시간을 보냈다. 아주 큰 소리로 찰리가 없어서 얼마나 행복하고 좋은지 모르겠다고 했다. 그리고 그토록 싫어하던 가족들이 없으니 찰리도 어디에선가 잘 지낼 거라고 했다.

하지만 찰리가 집에서 나간 지 하루가 되고, 하룻밤이 지나 금요일 오후가 되자 분위기가 변하기 시작했다. 시작은 찰리의 아빠였다. 찰리의 아빠는 불평을 하기 시작했다. 집이 너무 조용하다는 것이 이유였다.

찰리의 아빠가 말했다.

"너무 조용하니까 가끔 깜짝깜짝 놀란다니까요. 맥스는 소리를 내면서 놀 줄을 몰라요. 아이들이 있는 집처럼 시끌벅적하게 놀지를 못한다고요……."

찰리가 그리워요……. 찰리가 있을 땐 그래도 집 안이 온통 시끌벅적했었는데…….”

그 소리를 들은 찰리는 흐뭇했다. 찰리는 그 마음을 이해할 수 있었다. 자신도 조용한 것을 그다지 좋아하지 않았다. 최근에 겪어 보니 정말 미쳐 버릴 것만 같았다.

다음으로 불평을 한 사람은 맥스였다. 찰리는 형이 얼마나 심심했으면 헨리가 부탁도 하지 않았는데 헨리를 위해 골키퍼를 해 준다고 했을까 싶었다.

맥스는 뒷짐을 지고도 헨리의 골을 스무 개나 연달아 잡아 헨리가 얼마나 형편없는 축구 선수인지 증명했다.

헨리는 찰리가 가출한 게 틀림없다고 말했다.

맥스가 말했다.

"찰리가 가출한 것에 대해 뭐 알고 있는 게 있어?"

헨리는 자기 공을 다 잡아 낸 맥스 형에게 앙갚음이라도 하려는 듯 눈을 가늘게 뜨고 말했다.

"많이 알지."

맥스가 물었다.

"언젠가는 돌아올까?"

"아니!"

"지금쯤 배가 아주 고플 텐데."

헨리가 대답했다.

"절대 그럴 일은 없을걸!"

"밤에는 추울 텐데."

헨리가 단호하게 말했다.

"뜨끈뜨끈하게 지낼 거야."

"찰리가 집에 없으니까 재미가 없어. 엄마 아빠가 나 말고는 잔소리할 사람도 없고."

헨리가 말했다.

"형도 곧 익숙해질 거야. 자, 이제 내가 공을 잡을 차례야. 자, 어서 차."

맥스는 스무 개의 공을 찼다. 마지막 세 골은 눈을 감고 찼다. 그러자 헨리는 그만하겠다고 했다.

밤이 되어 잠자리에 누운 헨리는 찰리에게 물었다.

"아까 봤어? 너네 못된 형이 얼마나 세게 공을 찼는지 알아?"

찰리가 대답했다.

"평소보다 세게 차지도 않았어. 그렇게 열심히 하지도 않던데, 뭘."

"그럼, 맥스 형이 마음먹으면 얼마나 세게 찰 수 있는데?"

"굉장하지. 형이 나를 보고 싶어 하는 것 같아?"

"아니."

"조금도?"

"응."

찰리가 말했다.

"내 생각에는 형이 나를 아주 많이 보고 싶어 하는 것 같아."

헨리의 엄마가 2층에 대고 소리쳤다.

"헨리와 해미! 조용히 해."

그래서 두 아이는 입을 다물었다. 찰리는 곧바로 잠이 들었다. 아무것도 하지 않아도 피곤했던 모양이다.

토요일 아침, 찰리는 맥스 형이 헨리 방 아래서 유리창에 대고 소리를 지르는 바람에 잠에서 깨어났다.

"헨리!"

헨리가 대답했다.

"왜, 형? 무슨 일이야? 무슨 일이냐고?"

"집에 찰리 앞으로 커다란 소포가 배달 왔다고 전해 줘!"

헨리가 대답했다.

"알았어, 내가 말할게……."

"아하!"

맥스는 아주 만족스러운 목소리로 외쳤다.
헨리는 서둘러 말했다.
"…… 찰리를 만나게 되면 말이야!"
맥스는 아무런 성과 없이 집으로 터덜터덜 걸어갔다. 찰리는 헨리에게 소포를 가져다 달라고 했다.
헨리가 물었다.
"어떻게?"
찰리가 대답했다.
"그냥 달라고 해. 그럼 아마 주실 거야. 다른 물건들도 순순히 내주셨잖아."
찰리의 생각이 옳았다. 찰리의 부모님은 헨리에게 선뜻 소포를 내주었다. 헨리는 의기양양하게 찰리에게 돌아왔다. 찰리가 포장지를 북 찢자, 양쪽에 물통이 두 개 달린 울트라슈퍼 물총이 들어 있었다. 여름 내내 찰리가 원하던 물건이었다. 피트

삼촌으로부터 온, 더할 나위 없는 근사한 선물이었다.

찰리가 말했다.

"나가서 쏴 봐야 하는데."

"어디서?"

헨리 말에 찰리는 주위를 둘러보았다. 남의 집 2층은 양쪽으로 장전할 수 있는 물총을 가지고 놀 만한 적당한 장소가 아니었다.

마침내 찰리가 말했다.

"유리창 밖으로 쏘지, 뭐."

헨리가 말했다.

"그럴 수 없어. 너희 엄마가 와 계셔. 우리 엄마에게 불평을 늘어놓고 계신다니까. 토스트에 관해서."

"토스트?"

찰리는 갑자기 흥미가 일었다.

"토스트!"

찰리는 창가로 살금살금 기어갔다.

찰리가 귀를 기울였다.

"…… 아무래도 습관인가 봐요……. 찰리 때문에 토스트를 산더미만큼 많이 굽는 게 습관이 되어 있더라고요! 그런데 그 습관을 고칠 수가 없어요! 오늘 아침에도 또 그랬다니까요! 새 모이 탁자에 잔뜩 갖다 놓았지만 고양이조차 손도 대지 않아요. 찰리가 없다는 게 익숙해지지 않아서……."

엄마 목소리에 얼마나 깊은 슬픔이 담겨 있던지 찰리는 더 이상 참을 수가 없었다.

"이제는 절대 잊지 않게 토스터에 쪽지를 써 붙여야겠어요."

찰리 눈에 눈물이 찔끔 흘렀다.

"…… '찰리 없음' 이라고요……."

찰리는 더 이상 참을 수가 없었다. 물총이 생겼는데 쏠 데가 없어서가 아니었다. 맥스 형이 동생을 너무 보고 싶어 하는 마음에 친동생 대신 헨리와 축구를 해야 해서도 아니었다. 아빠가 불안해할 정도로 집이 조용해서도 아니었다.

그건 토스터에 붙은 '찰리 없음' 이라는 쪽지 때문이었다.

찰리는 헨리 옆을 지나 계단을 달려 내려가서는 얼빠진 표정을 한 엄마를 두고 정원을 통해 거리로 나갔다. 그리고 길을 따라 달려 자기 집 부엌으로 들어갔다. 헨리도 찰리를 쫓아 찰리네 집으로 갔다.

찰리네 부엌은 잔칫집 같았다. 토스트 파티에 이어지는 물총 싸움! 찰리와 헨리가 한편이 되어 맥스랑 룰루랑 멜리와 물총 싸움을 벌였다. 아빠들도 끼어들었고 엄마들은 서로 껴안았다.

모두가 말했다.

"정말 멋지지 않아요? 찰리가 집으로 돌아왔어요!"

그날 밤 찰리와 맥스가 잠자리에 누웠을 때 맥스가 말했다.

"난 한 번도 가출을 해 보지 못했는데, 어땠어?"

찰리가 대답했다.

"멋졌어!"

"뭐가 가장 좋았어?"

찰리가 말했다.

"음, 마지막이…… 집으로 돌아온 게 가장 좋았어. 그리고 모두들 뉘우치는 게……, 그리고 모두를 용서해 주는 게……. 마치 영웅처럼 말이지……."

맥스는 어둠 속에서 웃음을 지었다.

"…… 나처럼!" 하고 찰리가 말했다.

찰리는 찰리를 존중해 주지 않는 끔찍한 가족들과 함께 살아요. 생각이 아주 구닥다리인 아빠와 늘 잔소리를 해 대는 엄마, 그리고 잘난 척을 하는 맥스 형이 있지요. 싸움을 벌여도 늘 찰리만 혼이 나고, 고양이가 난간에 위험하게 앉아 있는 것이 마음에 걸려 형 축구복으로 낙하산을 만들어 고양이 등에 매 주어도 엄마는 난리를 칩니다. 일부러 그런 것도 아닌데 컴퓨터를 망가뜨렸다고 밥도 굶고 벌만 받습니다. 방에 갇히는 벌을 받는 것도 억울한데, 게임까지 못하게 하자 찰리는 기가 막히지요. 찰리한테 잘못이 있는지 없는지는 여러분이 판단해 보세요.

드디어 찰리는 가출을 하기로 합니다. 가출이라고 해 봤자 여덟 살짜리 찰리가 갈 수 있는 곳은 자기네 뒷마당 또는 가장 친한 헨리네 집이었어요. 물론 찰리네 가족은 찰리가 어디에 있는지 알고 있었지만 모른 척하면서 찰리가 마음을 바꾸어 돌아오기를 기다립니다.

찰리는 나쁜 의도로 그런 것도 아닌데 번번이 일이 꼬이자, 자기에게만 모든 게 불리하게 돌아간다고 느낍니다. 여러분도 아마 찰리의 마음을 이해할 수 있을 거예요. 자라면서 누구나 한 번쯤 가출을 꿈꿉니다. 찰리처럼 속상하고 억울하고 화난 마음을 주위 친구나 가족들에게 알리고 싶은 마음에 가출을 하고 싶어 하기도 하지요. 하지만 찰리는 가출해서 가장 좋았던 점이 집으로 돌아온 것, 그리고 모든 사람들을 용서해 준 것이라고 말합니다.

진정한 사랑이란 그 어떤 행동도 용서하고 이해하며 시간을 주어 스스로 깨닫도록 기회를 주는 것인지도 모릅니다. 찰리네 가족처럼 말이에요. 집만큼 소중한 곳은 없다는 것, 아마 찰리처럼 집을 떠나 보지 않아도 알 수 있겠죠?

지혜연